철새들의 역사

정민기 시집

시인의 말

서시(序詩)

소중한 사람 같은 첫 줄을 쓴다
전깃줄 참새처럼 종이에 앉아 있다
지나간 어선을 생각하는 것인지
바다는 그리움에 자꾸만 철썩거린다
친애하는 날들이 구름 사이 햇살 같다
속이 텅 빈 대나무도 그 기세는 곧다
겨울에 우윳빛 꽃처럼 낙화하는 눈
밤하늘 저 별에 이별을 전할 수 있을까!
그대로 진화하는 것처럼 변하는 사람
아름다운 풍경 속에 그 사람을 그린다
푸르던 청춘이 바람과 함께 지나가고
나의 뒷모습은 갈수록 허전해진다
지금 내가 있다는 것을 느끼는 동안
너의 그림자가 일렁거리고 있다
첫 줄을 쓴 지 몇십 분이 지나가고
깨알 같은 별들이 반짝거린다

2024년 1월/ 정민기

차례

떨어지는 별똥별이 타다 만 운석으로 발견되었을 때

떨어지는 별똥별이 타다 만 운석으로
발견되었을 때
우리는 녹슬기 전의 눈물 같은 사랑을 느낀다
동공이 흔들릴 때 지진이 났다고
생각한다
내 그림자가 불빛처럼 그대 눈동자에 일렁거리고
나의 사랑은 어쩔 수 없이 폐점에 이른다
저녁 눈이 한동안 서성거리다 그냥 돌아간다
또 하나의
사랑이 필요한 순간이 올 것이다
마음의 한가운데 삼치를 입에 문 고양이 한 마리
울음소리를 벗어가면서 거리를 헤맨다
반성할 줄 모르고 살아온 구름에 갇힌 비
수많은 별이 반짝거리는
밤하늘에서 그대 눈동자를 찾는다

어둠이 꽃처럼 피어나는 동짓날

어둠이 꽃처럼 피어나는 동짓날
끝까지 버티다가 소환된 어둠을 닦는
달은 구두 닦는 일을 업으로 하나!
눈사람은 밥그릇처럼 덩그러니 놓여
차디차게 식어가고 있다
이 겨울 끄트머리에 봄이 있다는데
켜 놓은 불빛에 눈이 부셔서인지
이별이라도 한 것처럼 보이지 않는다
빈틈없는 눈구름이 털어놓는 함박웃음
군고구마를 호호 불어 주는 아버지인 듯
다정한 저 웃음을 수확하는 시기
긴긴밤이 기차처럼 별을 움직인다
용서를 모르기에 또다시 결빙되는 마음
눈의 종착역은 여전히 춥기만 하다
어둠의 고무줄을 잡고 늘어지는 동짓날
끊어지기라도 하는 날에는 물거품이다
처마 밑 풍경지기 바람은 오늘도 바쁘다

오래된 저 이별은

노을이 지는 따뜻한 서녘에 이별이 있다
오래된 저 이별은
아랫목처럼 따끈따끈하리만큼
그리움이 몸부림치듯 녹아내린다
낮 동안 울컥 쏟아놓은 햇살이 널브러진
땅바닥은 아직 온기가 조금 남았다
틈만 있으면 들어가
기억 속에 피어나는 그 사람
내 몸은 하나의 공장이라도 되는 것처럼
입에서 입김이 스멀스멀 기어 나온다
더는 비울 것이 없는 나머지
노래라도 흥얼흥얼 비워 놓고 있다
다리가 아픈 듯 주저앉아 바스락거리는
낙엽을 한심스러운 표정으로 본다
아직 가야 할 길이 긴긴 동짓날 밤 같다
흘려 놓은 별빛 아득하기만 하고
닦기도 전에 슬그머니 마르는 눈물
마르다가도 아주 드물게 흐르기도 하는

겨울나무처럼

바람이 발라 먹은 살점, 몇은 떨어지고
앙상한 가시만 남아 비틀거린다
넘어질 것 같아도
잎잎이 사연 담긴 엽서가 되어 떠났다
철새가 찾아온 강가에서
서서 추억 한 사발 쭉 들이켜고 있다
배부르지는 않아도 채워지는
야속하게도 그대 멀리 떠나고 난 자리
그리운 것들은 다 떠나가기만 한다
서럽게 귓불을 간지럽히는 바람의 손길
물에도 길이 있어서 배가 떠다닌다
걸어가고 싶은 겨울나무 한 그루처럼
먹물 쏟아버린 화선지에 별을 쓴다
발자국 화석에 발을 맞춰보기도 하고
땅바닥에 주저앉은 차가운 기운
오로지 길가에 쪼그리고 앉아 장사하는
장날 저 할머니에게 접선하는
또 다른 인생의 나이테가 그려진다

양구 펀치볼 시래기 덕장

크리스마스 전후로 바짝 마른
그리움을 찾아
양구 펀치볼 시래기 덕장에 가는 사람들
된장 두 숟갈에 그리움이 보글보글 끓어난다
잘 마른 무청 잎잎이 헤어졌던 고향
스며들어 고스란히 전해진다
말리기 전 삶아낸 그 축축한 기억들
말라가는 동안 마음 애태우기도 했었다
구수한 시래기 된장국에
추운 겨울의 이빨 같은 고드름이 녹아내린다
시래기국밥 한 그릇 김이 모락모락
그리움의 구름으로 둥실거린다
모진 바람 견디고 견딘 수고스러움에
고향의 따스함이 잘 배어 있다

눈이 온다

눈이 온다
온다 간다 소문도 없이
그렇게 온다
눈물 적신 겨울밤의 설야(雪夜)
땅은 겨울을 노래하고
우윳빛 그리움 깔린 길을 걸어
뜰에 내려앉는다
바람에
고드름 이빨 문지르는 소리
첫눈인 듯 손끝에 닿는다
새벽을 부르고
온 산을 울리며 들려오는 함성
사뿐사뿐 눈을 밟는다
따라오는 뽀드득뽀드득
아아 맑기도 해라
저 유리창 닦는 소리
겨울의 울음
들으면 들을수록
간절하다

송구(送舊)합니다

묵은해가 가고 있습니다 그래,
송구(送舊)합니다
한 해를 다 떠나보내고 일주일 남은 시점
새해에는 더 따뜻한 시(詩)의 씨앗이
골고루 뿌려졌으면 좋겠습니다
한 해 동안 부족한 점이 많았기에
거듭 송구(送舊)합니다
버스처럼 시 더디 오는 정류장에서
기다림에 지친 독자분들의
마음을 조금이나마 위로해 드립니다
저의 시는
결코 저절로 태어난 적 없었습니다
독자분들의 삶과 인생을
한 편, 한 편마다 담으려고 노력했습니다
시는 지금 서 있는 현재가 아닌
다가올 미래를 위해 쓰는 것 같습니다
새해에는 더욱더 큰 절망을
큰 꿈으로 부풀어 희망을 노래하고
오랜 기다림에 동동거렸을
독자분들의 부르튼 발을 위해서라도

밤하늘에 반짝거리는 별처럼
빛나는 눈동자로 쓰고 또 쓰겠습니다
그저 송구(送舊)할 뿐입니다

한 해 마무리 잘 보내시고
새해 복 많이 받으세요

성탄제

별들이 따끈따끈한 달 주위로 모여들어
성탄 전야 미사를 마치고 난 후
단호박죽을 한 그릇씩 나누고 있다
새벽 송은 별빛 따라 멀리 흘러간 지 오래
기다림에 지친 아이들이 양말만
빨랫줄에 널어놓고 흘린 단호박죽 같은
단잠에 오르골 음악 없이 빠져든다
성탄을 축하하는 트리에 알알이 열린
꼬마전구의 빛은 올해도 역시나 탐스럽다
기다림은 누구나 똑같이 주어진 선물
아침을 기다리며 노래하는 닭
달걀 하나 툭, 떨어져 데굴데굴 구른다
차가운 말구유 속에서 부화하기까지
성모 마리아는 구멍 난 어둠 속 별을 깁는다
보름달을 깎아 말구유를 선물하려는
동방박사의 마음은 조각하는 사람
흘린 별의 눈물에 젖지 않도록 감싼다
말구유처럼 움푹 파인 와온 바다는
순천의 호수 같은 분위기가 느껴지는데
바닷물이 말구유에 드러누운 듯하다

보성 녹차밭 가는 길

보성 녹차밭 가는 길
음색이 곱고 애절한 서편제가
길 따라 실타래처럼 술술 풀려나온다
바늘귀에 실이 꿰어지듯
판소리가 귓불을 타고 굽이굽이
강물처럼 돌고 돌아 흘러들고 있다
푸른 녹음이 짙어만 가는 녹차밭
숨어든 새소리 찾아다니는 여인의 뒷모습
시원스러운 바람 품은 녹차 한 잔,
소리에 축축이 젖은 마음
부둥켜안고 고양이처럼 거리를 걷는다
비가 내리는 날에는
구슬피 우는 빗소리 따라 춤사위 보이는
바람 소리가 사뭇 진지하다
해가 보낸 눈빛 오늘도 따스하여
녹차 한 잔에 기대어 나른하게 맴도는
졸음을 낚아채려고 한다

눈을 보며

이토록 아름다운 새똥이 있을까
모두의 시선이 한데 모여드는
새의 것이 아닌 새의 똥을 본다
해독할 수 없는 차가운 저 구름 속
반쯤 열린 맨홀 뚜껑 같은 낮달
둥근 눈이 한동안 울면서 내리고
맨홀에 빠진 구름이 흘린 눈물인가
사나운 몸짓으로 달려드는 바람
한 시절 주마등 같은 눈이 떠나고
나 홀로 도저히 살아갈 수 없어서
그대의 눈빛에 그만 이끌리고 만다

무등시장 맛집, 부뚜막 국밥

광주광역시 남구 군분로, 무등시장 內
부뚜막 앞에 쪼그리고 앉아
모락모락 피어나는 연기 바라보면
고향의 情이 입김처럼 날리고
그리움이 보글보글 끓는 부뚜막 국밥

방랑 시인 김삿갓처럼 삿갓 쓰고
찬 겨울바람에 도포 자락 휘날리며
헛기침까지 크게 내지르면서
국밥집 안으로 들어가 한쪽 구석에
보란 듯이 떡하니 앉아 있으면
따끈따끈한 콩나물국밥 한 그릇
인심 가득한 얼굴로 내올 것 같은데

콩나물국밥 한 수저에
깍두기 한 점씩 올려 먹다가 보니
징검다리처럼 놓인 깍두기
맛의 강물 다정스럽게 흐르는 듯하다

까치밥

울음소리 부려 놓는 까치
화창한 겨울날의 해는
윗목에서 아랫목으로 자리를 옮긴다
청혼받은 적 없이
반쪽으로 일그러져 조각된 듯한 낮달
초라한 밥그릇처럼 덩그러니 놓여
눈시울이 노을빛으로 물든다
꽃을 떠나보낸 민들레 잎을 보고 있다
바닷가에 서 있자 파도에
서서히 침식하는 마음 부둥켜안기
왠지 미안하다
정신머리 어디다 놓고
까치는 지금까지 밥을 먹지 않았을까
눈에 넣어도 아프지 않을
아들딸 생각하는 마음은 다 똑같나!
고향 가는 길목 감나무에는
까치밥이 메주처럼 대롱대롱 열렸을지
잃어버린 울음소리 찾아 날아간다
저 까치 한 마리,

새소리를 키우는 철쭉나무 울타리

철쭉나무 울타리는 둥지 한 냄비인가
새소리가 보글보글 끓고 있다
그늘이 한 그릇 덜어 마시며 추위를
밀어내고 있다 새는 먹이를 찾아
밖으로 싸돌아다닌 지 이미 오랜 시간
낭비해 아껴 쓸 시간이 조금도 없다
구정물처럼 소리를 뒤집어쓴 사람들
제 몸을 어딘가로 옮기기 위해 걸어간다
마음에 그대라는 철쭉나무 가지만
꽂아놓으면 새소리가 자라날 것 같다
울타리 가에 앉아 기억을 씹어 먹으며
차가운 바람에 뺨을 맞고 있다
새소리에 흔적도 없이 사라지는 사랑
추억이라도 베고 낮잠이라도 잘까
햇살이 비처럼 쏟아져 땅바닥에
축축이 배어든 햇볕에 그대의 온기가
달아나지 못하고 그대로 남아 있다
젖은 구름에 스며든 눈물을 벗기려고
구름에 서명하자 이내 새소리가 내린다

바닷가 찻집

갈매기가 부리로 물어다 준
파도 소리를 틀어 놓은 바닷가 찻집
바다의 짜디짠 성화에
출렁거리는 몸이 쌍화차 한 잔
음미하면서 마시고 있다
개펄 드러난 바다를 보면 제 허물
모두 햇볕에 말리는 것 같다는 생각 물씬!
가난밖에는
불어온 바람에 주지 못하는 삶
인정머리 많기는 하지만, 줄 것이 없다
모든 것 다 주고 그루터기가 된
나무 한 그루의 이야기를 읽은 적이 있다
몸에 붙어 있는 거라도
나눠 주었다는 토르소를 기억한다
베푸는 삶 틀어 놓은 바닷가 찻집 마당에
햇살이 포근하게 뛰어다니고
바다로 또다시 원양 어업을 떠나는 바람
저 허전한 몸부림 속에
저절로 마르지 못하는 고집은 있다
새로운 해가 엉덩이 춤추듯 뜰 때까지

이 가지에서 저 가지로
옮겨 다니는 새처럼 지저귀자

민들레 한 송이

방석을 놓은 듯한 구름장 하늘 아래
재회한 햇살 향해 꽃으로 웃고 있다
자리를 이동하지 않고 그 자리에 그대로

야호, 야호!

상고대 우윳빛 사슴뿔처럼 피운
산을 오르니
그제야 막힌 변기처럼 마음 뻥 뚫리며
목구멍 깊은 곳에서 올라오는 소리
야호, 야호!
간밤 긴긴 겨울밤을 뜬눈으로 지새운
달님의 마음 모르는 것도 아닌데
낮달 뒤집어져
엎어진 밥그릇처럼 초라하게 떠 있다
겨울에는 그 누구라도
아마도 초라함을 껴입고 살겠지만
매번 푸르디푸를 수만은 없어서
순백의 백지로도 남는구나, 느껴본다

유리 바다는 깨끗하다

이불처럼 펼쳐진 유리 바다는 깨끗하다
살아 있는 것처럼 혈색은 돌지 않아도
차분한 마음으로 두근두근 철썩거린다
모래사장이나 몽돌밭 등에 업혀
아이처럼 온갖 재롱을 부리기도 한다
잠시 성난 파도를 가져와서 덮는다
저 금이 가서 쩍쩍 갈라지는 유리 바다
마음은 어느새 노을빛에 다 타버리고
어두운 밤만 남아서 눈빛 도사리고 있다
입구를 철통같이 지키던 갈매기도
근무지를 무단으로 빠져나간 지 오래
시래기처럼 삐쩍 말라비틀어진 마음으로
온종일 푸르러 봤자 아무 소용이 없다
유리 바다여, 오! 오! 늘 푸른 유리 바다여,
날은 동이 터오고 너의 끝에 물끄러미
앉아 있다 보면 개펄로 마음이 드러난다

구름 징검다리 겨울비로 내리는 동안

구름 징검다리 겨울비로 내리는 동안
한 해는 저물어 가고
도란도란 둘러앉으니 새해 떠오른다
동그라미로 그려나가는 파문 속에
일렁거리는 얼굴 한둘이 아닌데
얼음이 녹아 그리운 얼굴 앞에 보이고
심어질 듯 세로로 줄기차게 내리는 비
구름이 잠시 멈춘 하늘 정류장은
어딘가로 떠나는 철새들이 즐비하다
넉넉한 하늘의 품을 쉬이 떠나지 못하고
울먹이는 듯 내려오는 빗방울이 서늘!
가끔 바람이 파도처럼 철썩거린다
지루함을 달래고 싶은 듯 강가를 거닐고
지금쯤 조바심이 날 때도 되었겠지만
마른 강물처럼 소리가 흘러오지 않는다
밤바람 끊긴 어둠 속 정적만 떠돌아
오갈 데 없는 것처럼 보여 영 안쓰럽다
돌아앉아 있던 별들이 자리를 바꾼다

파문

나를 바라보는 그녀의 눈동자에 문득
물결처럼 일렁거리는 눈물
아, 눈동자의 둥그스름한 파문이여
손에 들기도 힘든 저 뜨거움의 진주 한 알
내 눈동자에서 다른 사람의
눈동자로 도저히 옮길 수 없는 사랑
정제된 마음은 박음질로 더 탄탄해진다
들려오는 심란한 파도 소리 속에는
발이 닿지 않는 깊은 공허함이 존재한다
퍼내고 퍼내어도 줄어들 생각 안 해
서로 마음 퍼져 나가기만 하는 파문이여
구멍을 메운들 뜨거운 사랑이 식을까
낮 동안에 눈빛을 낼 수 없는 가여운 별
내 마음에 갇힌 그녀를 놓아줄 수 없다
공기 중에 흐르는 사랑의 물결 따라
눈동자의 빛 흐르고 흐른다, 파문이여

거금도 해그라미 카페

전라남도 고흥군 금산면 평산길,
수십 년 동안 땅속에 묻힌
타임캡슐이 땅 위로 드러난 것 같은
보배스러운 추억을 간직한
해그라미 카페

철썩철썩 칭얼대는 바다를
커피 한 잔으로 따끈따끈하게 달랜다

카페에서는 역시 카페라테
한 잔의 여유를 즐기는데, 웬걸?
미국풍의 여자가 들어오더니
고급스러운 아메리카노를 마신다

이거 안 되겠다 싶어
내친김에 헤이즐넛 한 잔 들고
햇살 피어 있는
창가에 화분처럼 앉는다

구름의 반성

구름은 무슨 잘못 있기에
마른하늘 바닥을 닦고 또 닦을까
예보된 비는 어느새 지나가고
햇살 구름의 등에 앉아 있다
살 같은 구름 빠지면 빠질수록 더 채워져
아무 일 없다는 듯 반성하고
또 반성한다, 날은 저물어 가는데
지나간 기억 한차례 쏟아질 것만 같다
부푼 구름처럼 한없이 들뜨는 생각
오늘 하루를 마감하는 해도
결국은 구름의 뒤에서 지고 있다
올 한 해를 엽서 한 장에 눌러 담아도
다 못 담을 것 같은 아쉬움 가득!

앞발 뒤축에서 뒷발 뒤축까지의 거리

새해에 켜진 불빛 한 점처럼 밝다
서녘보다는 해 뜨는 동녘으로
서걱서걱 모래를 밟으면서 오아시스
찾아 떠나는 먼 길, 하늘 물 흐른다
이별 없는 곳에서 만나기까지 또 얼마나
많은 세월을 걷고 걸어야 하나
그리움을 뱉어 그 자리에 놓고 간다
첫날 휴게소를 벗어나는 기억 자동차들
충청도, 전라도, 경상도
삼남에는 아직도 눈이 날릴까
어둠 몇 점 뿌려지더니 금세 캄캄해진다
간격을 두고 여러 번 만나는 동안
우리는 보란 듯이 정이 들 만큼 들어
불타는 사랑을 반짝거리며 나누고 있다
그립고 다시 그립고 또 그리워도
서로 맘 놓고 닿을 수 없는 입술이기에
잎새 하나 떨리듯 파르르 날아간다
따라갈 수 없도록 저 날렵함이 느껴지는
앞발 뒤축에서 뒷발 뒤축까지의 거리

밤바다

어질고 어진 낮 동안의 푸른 말씀 어디 가고
먹빛 물결 밀물로
개펄처럼 질퍽질퍽한 마음 덮으려 하는가
머물러 주던 갈매기도 보금자리로
어느 순간 파고들었는지
연거푸 내뱉던 울음소리 들려오지 않는다
공허한 목마름만이 철썩거리고 있어서
이 상황에 사랑이고 뭐고 다 소용없다
한밤중 해변에서 길 잃은 달님처럼 처량하게
젖은 눈빛 뚝뚝 흘리고 있다
아침이면 수평선 위로 떠오를 타임캡슐
마음은 순간 떠오를 듯 두둥실 지난해의 인연도
해와 함께 저물었다
몇 잎의 사연 발밑에서 바스락거리는데
혼자 남은 들짐승처럼 무거운 마음 어둠 속으로
터벅터벅 한없이 움직이고 있다

영광 굴비를 구우며

소금에 약간 절여서 통째로 말린 조기
그것도
영광에서 온 굴비라서 영광스럽다
노릇노릇 구워지는 소리까지 맛있어서
아침노을에 굽는 것 같은 착각!
저 노을의 깊이는 까마득해 알 수 없어도
맛의 깊이만큼은 고스란히 느껴진다
세월에도 틈이 있으면 민들레 씨앗이
비집고 들어가 꽃을 피우겠지?
맛에 반해 하나하나 살점을 발라 먹는다
새해 첫날이라서 이미 고갈된 마음에
단비가 두리번두리번 내리기라도 하듯
혓바닥에 접시처럼 올려지고 있다
연기처럼 구름이 서서히 걷히고 나자
파도가 해안가에 혀를 날름날름
살 한 점이라도 앗아가려고 기회를
엿보고 있다, 목구멍 깊은 곳으로
삽시간에 진행이 빠르게 쑤셔 넣는다

천사들의 꿈과 희망이 머무르는 새별원

대구광역시 북구 영송로,
천사들의
꿈과 희망이 머무르는 새별원

날개 잃은 천사들에게 날개가 되어 주고
겨울나무 같기만 했던
천사들의 마음이 봄꽃 나무처럼 환하다
시멘트 바닥 사이 피어 있는 민들레를
포근한 바람이 가만가만 쓰다듬는다

겨우내 웅크렸던 웃음꽃이
보름달처럼 함박웃음을 짓고 있다
민들레가 바람에 전하는 꽃씨가
풍선처럼 두둥실 떠 오른다

겨울비

언 마음 간지럽히는 겨울비 내려오네
발등 촉촉하게 눈물로 적시려는 듯
웅덩이 고인 물만 봐도 그리움이 풍기네

누군가의 마음이라도
적시고 싶긴 한데

도저히 젖지 않는
사랑은 무엇인가

그친 뒤
달려오더라도
반짝반짝 빛나네

시클라멘

김이 모락모락 피어나는 마음 씀씀이
미모로 채워져서 환하게 빛이 난다
라라라 달콤한 향기 우아함도 가득해

겨울밤 쌍화차 한 잔

겨울밤 쌍화차 한 잔
시린 별빛 사뿐히 내려앉는다
문득 어둠에 가려진 생각
차가운 밤바람이 어디론가 몰고 간다
부드럽게 길을 따라 달리는 자동차
쌍화차는 조금씩 입김 빠져나가는 듯
서서히 식어가고 있다
새해의 떠오른 달을 맞이하는 동안
따스한 찻잔의 하루가 흘러간다
기척 없이 또다시 어슬렁거리는 밤바람
달밤 음미하는 하늘의 별빛 가볍다
물결치는 어둠 속 너를 생각하면 할수록
그리움이 짙어져 움직이는 마음
사각거리며 반짝반짝 별을 쓰는 하늘
마저 남은 쌍화차를 들이켠다

달력이라는 강

숫자가 흐른다
출항하는 어선처럼 1월을 떠난다
철새들은
거추장스러운 날개를 펄럭거린다
일동 묵념하는 듯 고요하다
돛을 단 희망이 서녘을 향해 간다
하류에서 기다리는 첫사랑
얌전한 길고양이가 한 마리 물고
소리 없이 사라진다
이 차가운 겨울,
저녁의 가장자리 모닥불 피워
그대의 따뜻한 등에 기대고 있다
강물에 돌을 던진 듯 첨벙거리는 소리
맑고 맑은 추억이 고스란히 반짝!
반달 저편에 나머지 반쪽이 접힌 채
뱃고동처럼 빛을 뿜어낸다
참으로 간절한 마음이 여기 있다
가사 없이 음표만 흐르는 강물
묵묵히 구름을 띄운다
밤배처럼 떠서 흐느끼는 달의 빛 눈물

흘려보내는 일 년이라는 세월 동안
즙을 진하게 짜듯 흐른다

군산 전골 맛집 공주네

전라북도 군산시 나운안1길,
맛보는 순간 감칠맛이 폭발하고
속이 개운해지는
군산 전골 맛집 공주네

추운 겨울 아랫목처럼
입맛 따끈따끈하게 데워지는 그 맛!
소불고기와
낙지가 환상적인 조합을 이룬 불낙전골

오랫동안 숙성된
잘 익은 묵은지를 넣고 끓인
묵은지전골의
깊은 맛에 이끌린 사람들이 들어온다

전골 한 냄비 나오자
더 기다릴 수 없다는 듯
숟갈과 젓갈이
쉴 새 없이 날아다니고 있다

그해 겨울

처마 밑 고드름이 담벼락에 머리카락처럼 널린 시래기를 보고 침을 질질 흘리고 있었다 그해 겨울은 동장군이 이를 가는 것을 깜빡 잊어버려서 그리 춥지는 않았지만, 차가운 마음을 데울 수 없었다 밤마다 하늘에 매달린 별 중에 손에 힘이 풀리면 기억을 잊고 별똥별로 사라져 갔다 달 울타리는 반쯤 허물어져 보수 공사를 해야 하는데, 며칠 동안 그대로 방치되어 있었다 아름다운 그녀에게 동백꽃 같은 립스틱을 사 주고 싶기도 했었다

철새들의 역사

철새들의 역사는
아침저녁에 노을 발원지로부터 시작된다
불어오는 겨울바람 따라
흘러 흘러 강이나 저수지로 내려온다
인사라도 하듯 승리의 브이 자를
떼 지어 몸으로 그려 보이면서 날아든다
항해하는 동안 여정의 피로를
기적 소리처럼 울음소리로 길게 내지른다
춤사위는 단추처럼 술술 풀어진다
구름 사이로 사다리처럼 내려오는 햇살 속에
한 줄의 징검다리가 옮겨지고 있다
낙엽처럼 물 위에 가볍게 내려앉는다
날개 달린 여행자는
부르튼 발을 물에 적신 구름으로 닦는다
그리움 한줄기 퍼부을 것만 같아
모자이크처럼 새기고 새긴 추억 한 장,
언제까지라도 녹슬지 않을 듯

벌교 맛집 추어탕 한 그릇

전라남도 보성군 벌교읍 시장2길,
찬 바람 부는 겨울날
언 마음 따끈따끈하게 데워 주는
벌교 맛집 추어탕 한 그릇

실컷 먹고 다음 날 또 먹어도
질리지 않을 것 같은 그리운 맛!
김이 모락모락 피어나
구름이 된 듯 뭉게뭉게 떠 있다

정갈하게 차려진 반찬을 올려
한 숟갈씩 떠먹을 때마다
입 안 가득 고향의 맛이 느껴진다

키스

동백꽃의 꿀을 쪽쪽 빨아 먹었습니다

누나와 남동생

누나와 남동생이 화단 옆 돌 위에 앉아
다정하게 책을 읽고 있네
오른쪽 손으로
남동생의 오른쪽 어깨를 짚은 누나,
나무는 늘 그 자리에서 푸른 입김을 날리네
구름도 가만가만 기어가는데
심술쟁이 바람은 페이지를 넘기려고 하네
화단에 향기를 늘어놓는 꽃들이 아름답네
누나의 긴 머리카락이
남동생의 한쪽 귓불을 자꾸만 간지럽히네
그만 웃음을 입 밖으로 던져버리는 남동생,
구름도 가만가만 기어가는데
하늘은 재활용도 안 되는 푸름만 늘어놓네
읽고 또 읽는지
페이지가 전혀 넘어가지를 않네
바람이 살랑살랑 불어와 넘기려 하지만
읽던 페이지에서 넘어가지를 않네
애꿎은 해만 서녘으로 넘어가고 있네

우포늪 하늘에 철새들이 반짝거린다

우포늪 하늘에 철새들이 반짝거린다
그렇게 한참 동안 반짝거리다가
한꺼번에 별똥별이 내려오듯 내려앉는다
추억을 되살리고도 싶었고
또한 추억을 지저귀고도 싶었다
하염없이 내리는 눈의 물을 닦아내기라도
하겠다는 듯
정처 없이 떠돌며 날아다니는 나그네여
울분을 토해 놓을 수도 없어 늪 위에 흐른다
불평불만 다 내려놓고 떠 있는 철새들
앙상한 몸 어디 내놓지 못하고
애써 목에 걸린 울음소리만 겨우 게워 놓는다
엽서 같은 낙엽 몇 장 날아오고 있다

카페 귀천

서울특별시 종로구 인사동길,
번화한 큰길에서 탁 트인 외진 골목 안 들어서면
천상병 시인의 시와
그리움이 찻잔 가득 스며든 카페 귀천

아득한 하늘을 우러러보며
시를 읊었을 천상병 시인을 생각하며
커피 향에 슬며시 빠져들고 있다

관훈동 카페 귀천 1호점은
천상병 시인의 아내분께서 운영하시다가
남편 곁으로 떠나며
폐점되어 그리움만 맴돌아 다니고

이곳은 천상병 시인의 처조카분이
카페 귀천 2호점을 운영하고 있다지

바람과 함께 어디든 가서
카페 귀천이
별빛만큼 반짝거린다고 하리라

대관령 양 떼 목장

강원특별자치도 평창군 대관령면 대관령마루길,
대관령 양 떼 목장

북 치는 소년처럼 양들을 불러 모으는
딱따구리의 나무 치는 소리
방귀 뀌는 소리인 듯
산골짜기를 울리고 있다
까마득한 밤하늘 많은 별을 헤아리는 밤
낮 동안 양 떼 속에
눈인지 양인지 분간할 수 없을 정도로
눈이 욕하는 듯 퍼붓다 사라졌다
양들 틈에서 술래잡기라도 하는 것처럼
쉴 새 없이 드나드는 차가운 겨울바람
평화를 불러올 것만 같은
양들의 울음소리에 언 손을 녹이고 있다
한동안 북 치던 소년이 사라지는 듯
딱따구리가 서녘으로 날아간다
잠깐 별이 생각난 듯 반짝이고 있었다

풍경 소리를 내는 겨울비

잘 닦아진 하늘에
먹구름이 물감처럼 뿌려지더니
이내 두리번거리며
차가운 거리를 적시면서 비가 내린다
비바람에 흔들리는 나뭇가지
풍경 소리를 내는
겨울비에 박자를 맞추듯 까딱거린다
흐릿함 속에 낯선 세상이 드러난다
그립지 않아도
전깃줄 참새가 노래하듯 전율이 흐른다
땅속 깊은 곳까지 스며드는 빗물
마음에도 스며드는 무엇인가가 있다
비가 그치면 서녘 하늘
군고구마처럼 익어가는 노을
별들도 눈빛처럼 반짝반짝 빛난다
고인 물에 빗방울이 퐁 빠지며
사랑에 함께 빠지고 있다
얼굴 같은 파동을 그려나가면서

수선화에게

조용하게 낮달처럼 피어 있는 수선화야
수줍음 빗물처럼 머금고 있으면서
정 깊은 따뜻한 마음에 다소곳이 기댄다

내 마음에 그대라는 책이 꽂히는 순간

내 마음에 그대라는 책이 꽂히는 순간
역사는 또다시 반란을 일으킨다
별들은 밤마다 흐드러지게 피어나더니
때론 내 머리를 조준하여 별똥을 싼다
간절하도록 정말 아득하도록
메마른 하늘에 잘 깎아 놓은 구름
가로등은 빛을 흘리면서 밤에 울기도 한다
달이 뜨고 어둠에 어둠이 겹친다
스산한 밤바람이 다녀가고
때아닌 매미가 귓가에 한참 울어주었다
이맘때 사랑은 한 뼘씩 자라나
맹수의 이빨 같은 고드름이 되어가고
마음에 피어난 꽃잎은 비가 되어 내렸다
낮에는 침묵을 지키던 낮달을 보고
한동안 먹먹한 마음을 쓰다듬고 있었다
한 자루의 붓을 들고 수묵화를 그리는
겨울의 앙상한 팔에 철새들이 날아온다

사랑하는 동안에는 우리 사랑만 하자

사랑하는 동안에는 우리 사랑만 하자
바라보는 해를 향할 수 없는 눈부심
너무도 차가운 나머지
한곳에 집중할 수 없는 겨울
결국 책을 덮고 창밖만 멍하니 쳐다본다
그제야 생각난 듯 해가 지고 있었다
밤을 끌고 온 철새들이 지저귀고 있다
아침에 보고 또 그리워지는 나무 한 그루
해안 도로를 달리는 바닷바람을 보고 온 날
밥맛이 두 배는 껑충 뛰어올랐다
하나의 일을 하면서 하루를 보내는 사람들
별자리는 돌아눕는 곳마다 잠자리이다
나는 사랑보다는 걸어 다니는 여행자
겨울바람이 불어오지 않는 겨울은 단 한 번도
생각해 본 적이 없다, 사랑을 할 줄 모르기에
오랫동안 걷고 또 걸어가야 할 길이
바로 앞에 납작 엎드려 있다
사랑하는 동안에는 우리 사랑만 하자고,

눈물, 꽃

정들자 이별이라 눈물도 꽃이 되네
학 울음 구름 따라 흘러가 거름 되네
심혈을 기울이면서 마음속에 새기네

얼음낚시

꽁꽁 언 강의 마음을 깨고 낚시라도 할까
떼로 몰려들어 늑대처럼 분노하는
겨울바람을 반으로 갈라놓고 돌아선다
바스락바스락 낙엽이 튀겨지는 소리
그 소리만 들어도 군침이 돌아다니고 있다
노크하는 슈퍼마다 아무도 밖을 내주지 않는다
날은 풀어져도
강의 마음은 도무지 풀어질 생각이 없다
거리낌 없이 버려진 노을이 지고
이별을 모르는 찬 바람이 돌아다닌다
민물고기는 낮달처럼 펄쩍 뛰어오르고
눈물을 전혀 떨어뜨리지 않는다
미끄러운 비누처럼 낮달은 다 닳았어도
좀처럼 줄어들 생각이 없는
강물이 그림자를 꾸역꾸역 삼키고 있다
지금까지 펼쳐 읽지 않은 구름이
뭉게뭉게 모여들더니
가느다란 회초리를 마구마구 내려놓는다

어둠 속에 둥지를 트는 밤바람

어둠 속에 밤바람이 둥지를 틀고 있다
열정적으로 흘러내리는 어둠을 뚫고
흐릿한 안개 같은 꿈속에서 헤매고 다닌다
립스틱을 진하게 바르고 서 있는
동백나무 한 무리를 본 적이 언제였을까?
반쯤 깨져 갈라진 낮달 같은 마음을
부둥켜안고 하늘의 별처럼 반짝거린다
먼 곳에서 등대 같은 달빛 어슬렁어슬렁
굶주린 하이에나처럼 돌아다니고 있다
타버린 편지 속에 반짝거리는 눈물일까?
저 멀리 기적처럼 들려오는 닭 울음소리
누가 나 대신 펑펑 울어줄 수 있다면,
텅 빈 겨울밤이 스산하게 지나가고 있다
눈 내린 길바닥을 걸어 다니는 동안
발로 한두 장의 지도를 그리는 사람들
새벽이 오는 길에 어둠이 흘러가고
메마른 둥지는 한없이 허물어지고 있다

폐선

낮달이 산 가까이 버려져 있는 것처럼
닻에 묶인 폐선이 罪人처럼
개펄에 박혀 있다 또다시 몰려드는 밀물에
폐선의 기억은 잠수함처럼 잠잠해진다
갈매기 노랫소리 언뜻 박자를 놓쳐버리고
헤매고 있다 바닷가 마을은 아는지,
모르는지, 고요함에 항상 푸르기만 하다
때론 물거품만 남기고 철썩거리는
어부의 삶이라도
낚시꾼의 놓친 삼치처럼 가끔 운이 좋을 때도 있다
하늘에는 가위로 아무렇게나 오려서
대충 붙인 듯한 구름 몇!
언제 불어갔다가 또 왔는지 모르는
어리둥절한 바닷바람 한 가족
햇살이라는 닻을 질질 끌면서 해가 진다

커피 마시는 여자

해 지는 서녘 하늘 창가에
커피 마시는 여자
한 모금 흘린 노을이 천천히 번진다
차가운 바람이 쓰다듬는 생각
기억 저편으로 달이 솟아오르고 있다
생각난 듯 두리번거리는 별빛이
가만가만 스친다 금세 차가워진 커피 자국
서둘러 지워버린 생각이 얼룩진다
기온은 영하로 뚝 떨어지고
어쩌지 못해 고드름은 질주하고 있다
어둠이라는 숲은 울창해진다
커피 향 문득 그대 곁으로 번지는 사랑
마음 한 잔 건네고 싶은 사람이
내게는 지금까지 없었기에
밤이 지나고 닭이 우는 새벽이 온다
따끈한 아침이 밝아오고 있다

필라멘트 사랑

동백꽃 통꽃으로 지고
환하던 세상은 어두워졌습니다
필라멘트가 끊어진 사랑
유리병 편지는
섬진강 증기기관차 따라 흘러가는데
어렴풋이 다 늦은 밤
정적이 강가 펜션에 머무르는 소리
적당한 여울에 다다르자
쉴 새 없이 몸부림치는 사랑
불 켜지지 않는 낮달을 올려다본 다음 날
한도를 초과한 구름이 흘린
사랑의 눈물
문득, 철새 떼처럼 번져 나갑니다
이렇다 할 아무 소리 없이

코로 들어온 꽃의 문장을 읽는다

코로 들어온 꽃의 문장을 읽는다
아, 이 향기로움!
다시 내보낼 수 없는 아름다움이 있다
문득 강물처럼 흐르는 구름
한 정류장을 떠난 버스가 한 정류장에
다다르는 순간
햇살이 한꺼번에 쏟아진다 침묵하는 바람
헤매고 다닌 적이 많았다
간결한 향기를 읽는 동안 날이 지고
새들은 부지런히 날갯짓하면서
보금자리로 돌아간다 기다려준 적 없는,
사랑의 메아리 울려 퍼진다
온통 축축하게 젖은, 비 오고 난 거리
잔뜩 울음을 냅다 부려놓았다

민속 레스토 카페, 메밀꽃 필 무렵

광주광역시 남구 유안초등북길,
이효석 소설가가 1936년에 발표한
단편 소설이 생각나는
민속 레스토 카페, 메밀꽃 필 무렵

광주광역시 지정 1등 맛집으로
자리 잡은 이곳의 사모님은
전라남도 고흥군 포두면 출신이시라
친절한 남도의 맛으로 버무려졌다

황태 정식 하나만으로도
이미 맛으로 평가되어 자리를 차지한다
황탯국에, 황태찜까지
한층 어우러진 맛이 별미라면 또 별미

황칠 가브리 보쌈의 넉넉한 양에
두 눈이 먼저 휘둥그레진다
잘 익은 김치와 보쌈이
한데 씨름하듯 조화를 이루고 있다

메밀 수제 돈가스는
부모님 손에 억지로 끌리다시피 따라온
아이들의 장난기 가득한 입맛을
한순간에 사로잡아 놓아주지 않는다

골뱅이 초무침에
동구 밖 느티나무까지 달아났던 입맛이
어느 순간 돌아와 있다

저녁노을 같은 커피 한 잔에
구름처럼 두둥실 마음 가벼워진다

어선 한 켤레

소금 장수가 지게를 짊어지려는 자세로
물 위를 떠다니는 소금쟁이라도 되는 것처럼
수평선에서 걸어오기라도 한 듯
어선 두 척이 구두 한 켤레처럼 나란히
항구에 정박해 있다

저 구두를 신으면 바다를 걸어 다닐 수 있을까
과장된 모순이라고 생각할지 모르겠지만
어쨌든 바다 위에서 구두를 신고
노를 저어 앞으로 나아갈 수 있다면 좋겠다
우리나라 만세!
어깨춤이라도 덩실덩실 출 것 같다

머리카락이 쭈뼛거리면서 일어서고 있다
오징어 잡는 배의 집어등처럼
소금꽃 향기 주렁주렁 매달고 오는
바닷바람 때문이다

갈매기가 날아갔다가 돌아오는 수평선
편견 없는 끼룩거림에 웃음이 저물어 가고

나는 또 바다를 걸어 나가지 못하고 말았다

인생의 단상 같은 항구에 우두커니 서서
낡아빠진 파도를 한 권 빌려
어선 한 켤레를 철썩거리고만 있다
밤하늘 항구에는 구두닦이가 닦아놓은 듯
무수한 별이 반짝반짝 광난다

간이역 겨울 연가

기차는 어쩌다가 멈춰 서도
사랑은 그나마 자주 멈춰 서고 있다
화목난로 한창 불을 피우던
어느 눈 내리는 날
동백나무 한 그루가 향기 없는 동백꽃을 달고
날개 달린 동박새를 부르고 있었다
땅속에 뿌리가 박혀 다가갈 수 없으니
동박새가 지저귀면서 날아온다
먼 데서 기적 소리를 던지며
터널 같은 어두운 기차가 가까워지고 있다
주전자 속 물처럼 끓어오르는
사랑의 노래가 레일을 타고 흘러온다
낮달은 영원한 빛을 잃어버리고도
실망하지 않고 나눠 먹는 호빵처럼 떠서
우리 둘을 물끄러미 내려다본다
닻을 올리고
동녘에서 서녘으로 항해하는 태양에도
사랑이 피고 지는 꽃동산이 있을까,
눈동자에 반짝거리는 그대의 별 한 잔
한 그루의 꽃나무가 되고 싶었던 지난날의

기억이 하나둘 켜지기 시작한다

생매장

바람처럼 왔다가
다시 바람처럼 사라지는
암흑과도 같은 시기,
시멘트 깨진 틈 사이로
향기에 퉁퉁 부은 손이 나왔다

원고지라는 이름의 아파트

중학교 1학년 시절 교내 백일장 대회에서
최우수상을 받은 적이 있다
원고지에 '가을'이라는 주제로 빼곡히
글자들이 들어가기에는 조금 거북스러웠다
사방이 벽으로 막힌 감옥 같은 칸마다
식목일의 어린나무처럼 심어지는 글자들
닷새마다 열리는 장날에 밀려왔다가
다시 밀려 나가는 장꾼들처럼 오래된 글자는
점점 희미해져 제 모습을 잃어가고 있다
옛 기억처럼 흐릿한 하늘은 금세 눈물 같은
빗방울을 씨앗 뿌리듯 던질 것만 같아서
아파트를 뚫어질 정도로 쳐다보고 있다
답답하다는 마음 곁에서 유년의 시절들을
차곡차곡 원고지 칸처럼 쌓아 올린다
장미처럼 가시가 있어도 아름다운 사람
보잘것없어도 향기로운 마음을 품고 있는
그런 사람이 무척이나 그리울 때가 있다
글자들을 위한 아파트가 세워지고
또다시 허물어지는 동안
몇 날 며칠을 날이 새고 지기를 반복한다

원고지 칸마다 별 하나씩 그려 넣는다
아파트에 처음 같은 생각이 반짝거리도록

황금 국화

곽공(郭公)*의 노랫소리 남강으로 흘러가고
은은한 황금 국화 향기를 속삭인다
아련한 추억 한 자락 어느 곳에 깃들이나

* 뻐꾸기.

어딘가를 혼자서 걸어가다가

어딘가를 혼자서 걸어가다가
흐드러진 꽃이 아닌
한 송이 풀꽃으로 가만히 서 있고 싶네
안개 속에서 잃어버린 행복 찾기란
그렇게 호락호락한 것만은 아니기에
오랜 여행의 피로를 던져버리고
물기 하나 없이
마른 잎처럼 바스락거리네
시냇물에 떠내려가는 나뭇잎의 가벼움
꽃꽂이한 듯 가지런하게 늘어진 구름
겨울나무가 앙상한 팔을 늘어뜨리고 있네
괴로움을 잊으려고 청춘은 멀어지는데
겨울날 책과 이별하려고 도서관에 가는 길
하늘이 펑펑 우는 것처럼 눈이 내렸네
어둠을 위해 별들이 연주하는 밤이 오네
내 젊은 날의 추억을 한 줌 던지며

아, 참 거시기하다!

겨울이라는 트랙을 달리면서
북극 한파에 오늘따라 거시기하다
물은 얼굴조차 펴지 못하고
자존심까지 꽁꽁 얼어버린다
눈으로 뒤덮인 세상에서 뭉친 사랑
저녁은 커피 같은 노을 한 잔을 끓이고
별밤 아래 하룻밤 묵어가려고 한다
잠 못 이루는 한여름 밤에
은하수 강변에 앉아 흐르는 별의 노래
새벽녘까지 듣고 싶었던 시절
빈손 가득 단풍 같은 사랑이 스며들었다
종이학을 접어 꿈을 담아 날리고
갈매기처럼 비릿한 생각 끼룩거렸다
겨울이 뒤뚱거리다가 넘어지고 만 하루
바람의 길목을 가로막고 서서
하소연이라도 줄기차게 하고 싶은데
시장 입구 국밥집 문 사이로
따끈따끈한 삶이 새어 나오고 있었다
오늘따라 바람이 아, 참 거시기하다!

비행접시를 깨뜨리다

오래된 비행접시를 깨뜨리는 꿈을 꾼 적이 있다
와장창, 소리와 함께
철새 떼처럼 흩어지는 비행접시 조각
살아간다는 것은 앞으로도
계속할 일이 남아 있다는 것이 아니겠는가
횡단보도는 얼룩말처럼 쓰러져 있고
고요한 하늘을
기둥 없이 떠받들고 있는 허공
눈빛으로 마음의 주파수를 맞추는 사람
새가 울음소리를 찔끔찔끔 흘리며 날아간다
강산이 바뀌는 십 년이 지나갈 때마다
무한한 원점으로 돌아가는 걸까
처음 그 자리를 차지하고 앉아 굽신거린다
팽창하면 할수록 너와 나는 통하는 것이 있다
거침없고, 신비롭고, 새롭고, 높아지니
사랑은 곰처럼 웅크리고 있기만 하면 안 된다
짧게 펀치를 하는 겨울바람의 한마디에
잠시 기절했다가 깨어난 것처럼
순간, 화들짝 놀라면서 정신이 번쩍 든다
오후에 피어나는 사랑이 먼 아침을 향하고

길 위에서 접시처럼 깨져 소멸할 것 같다

얼굴 없는 시

얼굴 없는 시를 쓴다
대부분 시는 얼굴이 아예 없는 것 같다
하지만 마음을 가진 영혼이 있다
못생긴 얼굴이 뭐 대수인가
마음만 아름다우면 되지 않은가
심지에 별을 붙이면 반짝거리는 영혼
태양의 영혼은 마음을 옮기는 흑점
습관처럼 바위에 올라 자는 사람은 부재중
텅 빈 겨울 하늘에 별을 뿌린다
출근길에 얼핏 워낭 소리를 들은 것 같다
바닷가의 차디찬 몽돌도 연가를 부른다는데
영혼을 태우면서 마음을 갈고닦고 있다
늦은 밤이나 새벽마다 깨어
어두운 하늘에 마음을 끄적거리는
시인은 언어의 야행성
영혼에 무게가 느껴진다면 그건 아마도
마음이 사랑에 빠지고 만 것이다

한겨울 밤에 만둣국을 끓인다

한겨울 밤에 만둣국을 끓인다
너무도 잔잔해서
포크 발라드곡처럼 끓어오르고 있다
낮 동안
빈 낮달 그릇을 본 서글픈 감정은
어디론가 썰물처럼 물러가고
구슬 같은 눈동자를 연신 굴리고 있다
종종 하늘을 올려다보면
걸쭉하게 끓여진 구름을 볼 때가 많았다
느낌표로 흐르는 눈물을 닦으며
물음표의 낚싯줄을 던지는 갯바위 낚시꾼
저녁노을 카펫을 걷어버리고
마음에 동백나무 한 그루 심어 놓는다
한동안 슬프게도
동박새가 똥을 찔끔 싸 놓고 갔다

푸른 도화지에 노을 한 방울 떨어뜨리니

푸른 도화지에 구름을 살며시 그리다가
노을 한 방울 뚝, 떨어뜨리니
한 번의 실수는 금세 서녘 하늘에 번지고
새들은 알 수 없는 노래를 부르고 있다
공원에 놓인 빈 의자가 있는데
비둘기들은 왜 바닥에 앉아 있는가
둥근 그루터기를 꺼내 놓고 앉기를 권할까
오후에 비누 같은 미끌미끌한 구름을
만지작거리다가 두 동강이 나고 말았다
인적이 끊긴 산자락은 여인의 치맛자락처럼
자꾸자꾸 펄럭일 것만 같아서 눈이 부시다
눈사람을 벌세워 놓고 들어간 아이들
하나 남은 귤은 전구처럼 빛을 발하고 있다
적막한 바람이 사방에서 불어 날아다니고
바다에 산그림자 같은 그물을 드리우는
어부의 마음을 갈매기들은 조금이라도 알까
동백나무의 환한 마음에 깨달음을 얻으러
구례 화엄사 가는 길은 항상 자비스럽고
싱그러운 잎새 지저귀는 듯 푸르디푸르다

철새들의 역사

발　행 | 2024년 1월 30일
저　자 | 정민기
펴낸이 | 한건희
펴낸곳 | 주식회사 부크크
출판사등록 | 2014.07.15.(제2014-16호)
주　소 | 서울 금천구 가산디지털1로 119, SK트윈타워 A동 305호
전　화 | 1670 - 8316
이메일 | info@bookk.co.kr

ISBN | 979-11-410-6907-0

www.bookk.co.kr